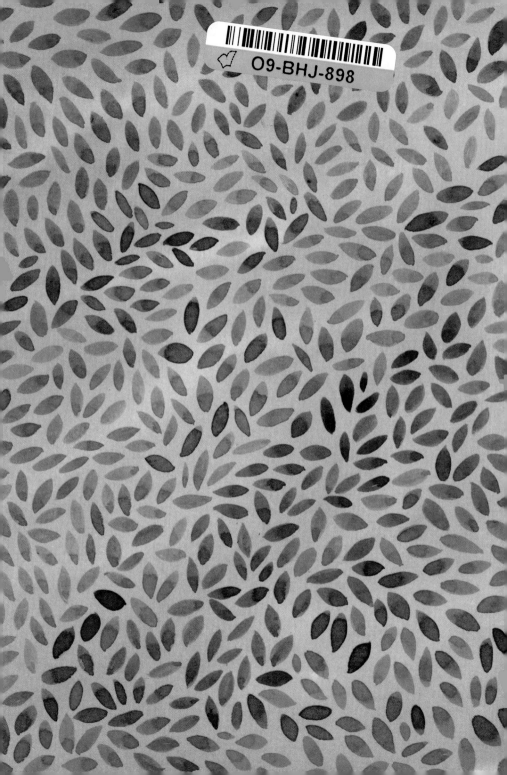

WIERSZYKI RODZINNE

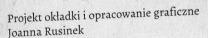

Projekt okładki i opracowanie graficzne
Joanna Rusinek

Copyright © by Michał Rusinek 2013

Opieka redakcyjna
Magdalena Talar

Adiustacja
Dorota Zańko

Korekta
Aurelia Hołubowska
Magdalena Talar

ISBN: 978-83-240-1963-2

Książki z dobrej strony: www.znak.com.pl
Społeczny Instytut Wydawniczy Znak
30-105 Kraków, ul. Kościuszki 37

Dział sprzedaży: tel. (012) 61 99 569
e-mail: czytelnicy@znak.com.pl

Wydanie I, Kraków 2013

Druk: Edica

WSTĘP
czyli to,
czego dzieci nie czytają

Tak, to jest książeczka dla dzieci. Ale ja uważam, że w każdej książeczce dla dzieci powinno być coś dla dorosłych, bo przecież często bywa tak, że to dorośli są zmuszani do czytania dzieciom książeczek. Jeśli nie znajdują w nich nic dla siebie, to przy czytaniu zasypiają…

Ale o czym to ja mówiłem? No tak. O czymś dla dorosłych. Otóż w poprzedniej książce z wierszykami dla dzieci zatytułowanej *Wierszyki domowe* (wydanej przez wydawnictwo Znak w 2012 roku), pod każdym wierszykiem umieściłem przypis dla dorosłych. Natomiast w tej książce dla dorosłych przeznaczony jest ten oto wstęp. Nie muszę pisać, że jest on „tylko dla dorosłych", bo wiem, że żadne szanujące się dziecko nie czyta wstępu, posłowia czy przypisów. (Jeśli jakieś dziecko doczytało aż do tego zdania, może już pominąć resztę tego wstępu i zająć się czytaniem wierszyków jako takich, pod groźbą oskarżenia o bycie dzieckiem nieszanującym się.)

To, skąd wziął się pomysł na tę książkę, może raczej zaciekawić dorosłych niż dzieci. Otóż kiedyś, dawno temu, znalazłem w „New Yorkerze" dowcip rysunkowy. Na górze

5

widniał napis: „Prześlij nam dwa dolary, a odeślemy ci twoje drzewo genealogiczne". Potem było drzewo jako takie: na dole znajdował się portret młodego człowieka z podpisem „ty", piętro wyżej „mama" i „tata", potem oczywiście kilkoro dalszych przodków, niektórzy – jak wuj Leon – podejrzanego autoramentu. Gdzieś w połowie znajdował się portret podpisany „chyba Napoleon Bonaparte", a na samej górze uśmiechały się dwie małpy.

Rysunek ten przypomniał mi, że od czasu do czasu ktoś w mojej rodzinie – najczęściej moja Mama – wpadał na pomysł rozrysowania naszego drzewa genealogicznego. Nie jesteśmy żadną starą i ważną rodziną, więc możemy się opierać wyłącznie na rodzinnych dokumentach, których sporo poginęło w czasie wojen i licznych przeprowadzek. Powyżej pradziadków zaczynają się pojawiać białe plamy, wątpliwości, niejasności (notabene zamiast „chyba Napoleon Bonaparte" pojawiał się u nas „chyba generał Bem").

Oczywiście każdego porządnego genealoga taka sytuacja wpędza we frustrację. No, chyba że jest dzieckiem. Dzieci bowiem – jak wiemy – zupełnie nie przejmują się, czy coś należy do wiedzy pewnej i zweryfikowanej, czy też pozostaje w sferze domysłów. Zaryzykowałbym nawet stwierdzenie, że dzieci wolą domysły, niejasności i białe plamy, bo mogą je uzupełniać przy pomocy własnej wyobraźni. „Chyba"? „Być może"? A więc dlaczego nie!

Postanowiłem na kilka tygodni zdziecinnieć i napisać wierszyki oparte dość swobodnie na życiorysach członków mojej rodziny (mam nadzieję, że nie poczują się urażeni ci, którzy się tu gdzieś rozpoznają; niech potraktują tę książeczkę jako test na

własne poczucie humoru i autoironię). A właściwie naszej, bo
i przecież rodziny mojej siostry, która tę książkę ilustrowała.
Wydaje mi się, że mamy przodków dość zwyczajnych. Ale
i jestem przekonany, że nawet na bardzo zwyczajną rodzinę
można spojrzeć z niezwyczajnej perspektywy: w każdym
z nas tkwi jakieś dziwactwo, każdy z nas ma w życiorysie
jakąś przygodę, o każdym można opowiedzieć jakąś anegdotę.
Niekoniecznie całkowicie prawdziwą; ważne, by była zgrabna
i mogła bawić nie tylko ich samych.

Dlatego zachęcamy Czytelników – tych młodszych i tych
starszych – by po przeczytaniu i obejrzeniu tej książeczki
spróbowali odtworzyć własne drzewa genealogiczne. Na ostat-
nich stronach umieściliśmy wzór, którym można się posłużyć.
Ale przede wszystkim należy w tym celu porozmawiać z kimś
z rodziny, kto ma najlepszą pamięć, i poprosić, by opowiedział
nam o jakichś ciekawych postaciach spośród naszych przodków. Może znajdzie się tam jakiś „chyba Napoleon Bonaparte"?
A jeśli nie, to od czego mamy wyobraźnię?

M.R.

Kraków, sierpień 2013 r.

Naszej szeroko pojętej rodzinie —

— J.R. i M.R.

DRZEWO

Niektórzy sadzą przed domem drzewa,
które przycina się i podlewa.
Inni hodują dynie na działkach –
tu już potrzebna pewna smykałka.
Komu nie straszne są dzikie mszyce,
ten na balkonie ma róż donice.
Gdy wokół plucha i zawierucha,
w niektórych domach rośnie rzeżucha
albo w słoiku, bardzo powoli,
kiełkuje sobie ziarnko fasoli.

A ja znam taki gatunek drzewa,
którego wcale się nie podlewa,
które nie rośnie na żadnych działkach.
I choć potrzebna jest doń smykałka,
to nie ze względu na jakieś mszyce,
ani balkony, ani donice.
Żadna nie złamie go zawierucha.
Niech sobie gdzieś tam rośnie rzeżucha
i niech kiełkuje sobie powoli
w jakimś słoiku ziarnko fasoli –

ja wyhoduję w sposób niedrogi
dorodne drzewo genealogi-
czne. ZA pomocą pisaków samych,
a PRZY pomocy taty i mamy,
babci i dziadka, wujka i cioci –
i wyobraźni, co czasem psoci...

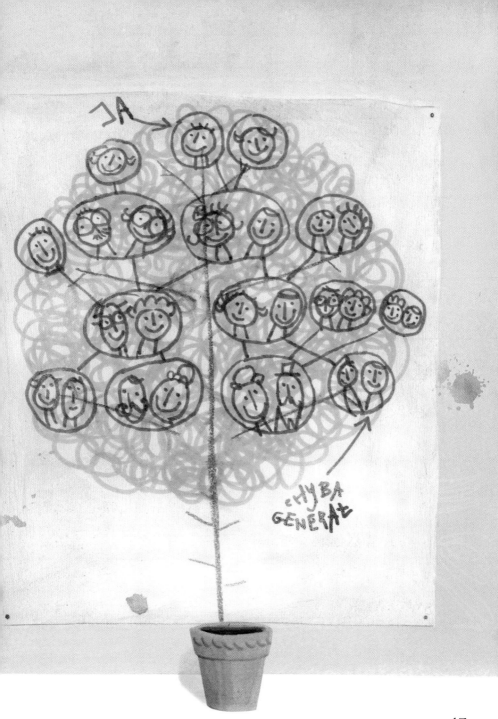

MAŁPA

Pewna małpa człekokształtna
wlazła raz na drzewa szczyt,
wykazując przy tym iście
człekokształtnie małpi spryt.

Gdy wdrapała się ta małpa
na sam czubek drzewa, hen,
to przysiadła na gałęzi
i zapadła wkrótce w sen.

Śniło jej się, że pod drzewem
stoi – używając nóg! –
jej prapraprapraprapra-
praprapraprapraprawnuk.

Myśli małpa: „Jakoś mało
owłosiony na swój wiek.
Czy to małpa człekokształtna,
czy też małpokształtny człek?".

Nie wiedziała, kim jest wnuk jej
(prapraprapraprapra).
Wy się pewnie domyślacie,
że to byłem właśnie ja!

JASKINIOWIEC

Gdy byłem mały, były momenty,
że obwieszczałem: „Jestem zajęty!
Proszę nie wchodzić mi do pokoju!
Ja tu pracuję w trudzie i w znoju!".

Tak pracowałem pół dnia bez słowa,
aż w końcu praca była gotowa.
Gdy pokazałem z dumą jej piękno,
mama zemdlała, a tata jęknął.

Ja tylko przecież – daję wam słowo! –
narysowałem kredką woskową
od ramy okna do drzwi framugi
bitwę na dzidy oraz maczugi.

Tata rzekł: „Kara cię za to spotka".
Ja na to: „Tato, to przez praprzodka,
który w jaskiniach – co dzień od rana –
rysował bardzo pięknie po ścianach.
To po nim taki mam talent, tato.
I nie poradzę nic a nic na to".

17

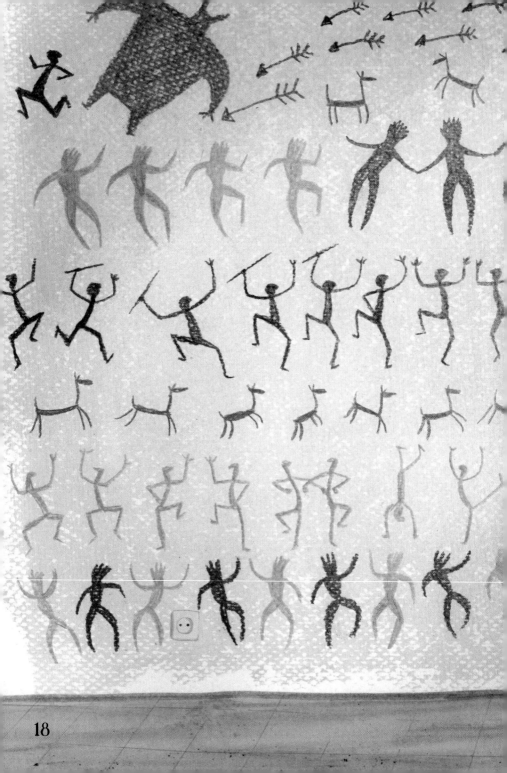

18

EGIPCJANIN

Niektórym pewnie zrzednie ciut mina:
miałem w rodzinie Egipcjanina,
który do tego był starożytny!
Niestety, nie był wcale wybitny:
w szkole nie bywał nigdy kujonem,
nie miał szans zostać więc faraonem.
Różnymi parał się on pracami,
także wznoszeniem słynnych piramid.
Gdy piramidę wznosił Cheopsa,
to witaminy jadł w formie dropsa
i chociaż wcale nie był wysoki,
mógł potem podnieść najcięższe bloki.
      Też lubię dropsy, zwłaszcza czerwone.
      I też nie będę raczej kujonem...

21

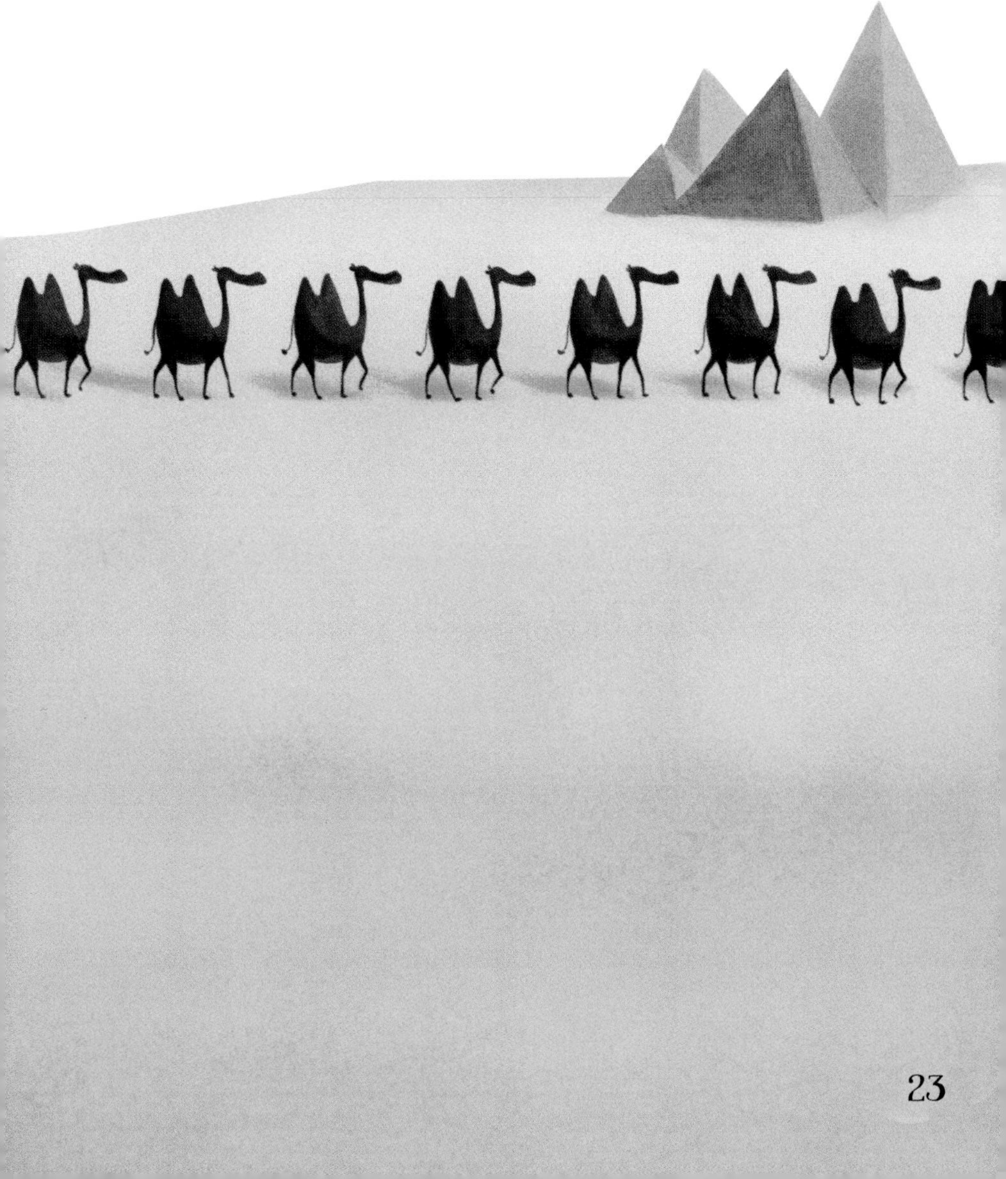

GREK

Dobrze mieć w rodzinie Greka.
Kiedy ktoś się na nas wścieka
i zarzeka, i narzeka,
i nawarczy, i naszczeka
lub przyrzeka, że posieka,
tajemnice powywleka
albo pięty poprzypieka,
i nie czeka, i nie zwleka,
lecz docina i dopieka –
niech nie zadrży nam powieka.
Mieliśmy w rodzinie Greka,
a więc udawajmy Greka!

RZYMIANIN

Gdy byłem na wycieczce w Rzymie,
widziałem pomnik Rzymianina.
Ze wszystkich stron go obejrzałem
i myślę: „Hm, znajoma mina".

Znam dobrze minę taką – z lustra
(zrobiłem zdjęcia, mam dowody).
Ja i Rzymianin na cokole
jesteśmy jak dwie krople wody!

Mamy te same pełne usta
(ja mam szczególnie po snickersie),
te same oczy, nosy, szyje...
Tyle. Bo pomnik to popiersie.

DRUID

W mojej rodzinie był ponoć druid,
który sporządzał magiczny fluid.
Ten, kto fluidem natarł swe uszy,
stawał się mądry jak stu geniuszy
i już w przedszkolu zdawał maturę.
Niestety, przepis na tę miksturę
zabrał do grobu ze sobą druid.
Więc kiedy skończył się jego fluid,
skończył się także nasz czas wesoły,
bo trzeba było wrócić do szkoły.

WIKING

Gdy mi zacznie rosnąć broda
z prawej oraz z lewej strony,
to okaże się, czy jestem
z wikingami spokrewniony.

Co dzień szukam brody w lustrze
(to szukanie mnie wyniszczy!).
Tam, gdzie broda być powinna,
jest wciąż tylko kilka pryszczy...

CZAROWNICA

Zdradzę wam straszną tajemnicę:
mamy w rodzinie czarownicę.
Co? Nie wierzycie? Mogę przysiąc!
Żyła lat temu niemal tysiąc.
Choć nie latała na swej miotle
i nie warzyła trucizn w kotle,
nie miała nosa w kształcie fajki
i nie mieszkała w chatce z bajki,
ale za sprawą jakichś czarów
oczarowała panów paru.
Raz, gdy na spacer szła alejką,
jeden z nich szepnął: „Czarodziejko!",
ukłąkł, pierścionek dał z błyskotką...
I tak została moją ciotką.

WOJ

A w rodzinie mojej
byli kiedyś woje;
byli też wujowie,
ale każdy to wie,
że to co innego,
chociaż – podobnego,
bo:

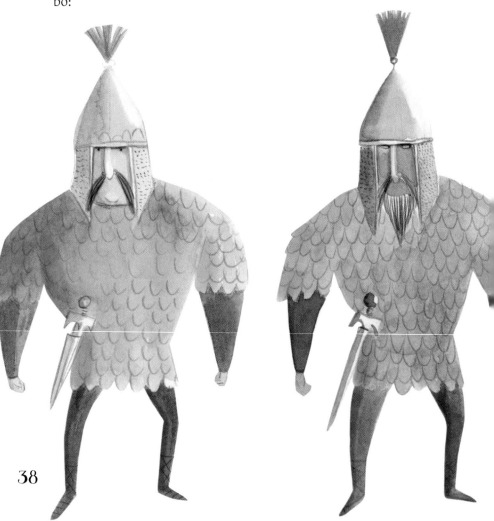

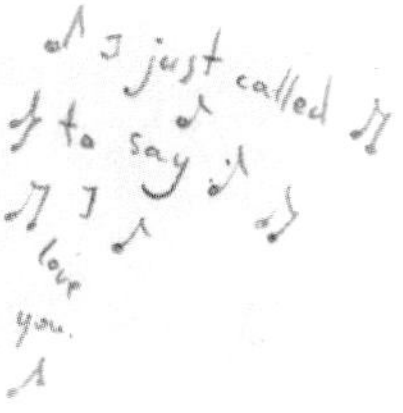

wuj kocha wujenkę,
woj kocha wojenkę,
wuj nuci przeboje,
woj zaś nosi zbroję,
wuj z rodziną mieszka,
woj – z drużyną Mieszka
(zwłaszcza Pierwszego –
wiedziałeś, kolego?).

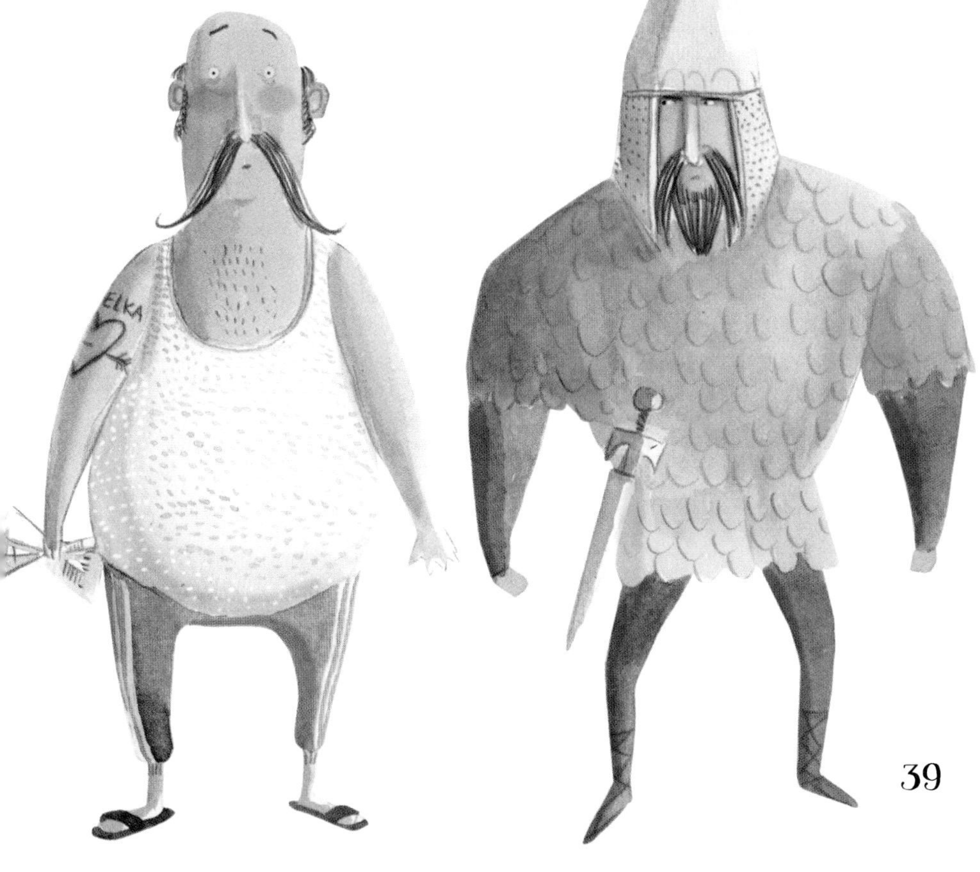

39

ŚWIĘTA

Mówiła babcia z miną przejętą,
że dobrze mieć w rodzinie świętą.
Lepiej, gdy jest też zakonnicą,
a już najlepiej – męczennicą.

Ja na to: „Babciu, to ty nie wiesz,
że słynną świętą Tillitarę
(naszą prapraprapraciotkę)
załaskotano za jej wiarę?".

Zamiast relikwii czy obrazów
najświętsza z naszych wszystkich ciotek
nam zostawiła – jakby w spadku –
niezwykłą skłonność do łaskotek.

TATAR

Mój przodek Tatar
złapał raz katar.
Tata Tatara rzekł: „Nieboraku!
Ty, w takim stanie,
w domu zostaniesz,
zamiast najeżdżać jutro na Kraków!".

Tak więc przez katar
to inny Tatar
do hejnalisty strzelił znienacka.
Dzięki innemu,
jak rydz zdrowemu,
dzisiaj jest słynna wieża mariacka.

43

RYCERZ

Mamy w rodzinie rycerza,
co z hufcem zbrojnych rycerzy
wyruszył walczyć ze smokiem
i damę uwolnić z wieży.

Kiedy przybyli rycerze
pod wieżę obrosłą powojem,
to prędziutko na się włożyli
piękne i ciężkie zbroje.

Nasz rycerz okropnie się pocił
(ot, taka niektórych natura)
i kiedy wbił się w swą zbroję,
był mokry jak zmokła kura.

Więc zardzewiała mu zbroja
i nie mógł zrobić ni kroku,
gdy mniej potliwi rycerze
szli się wyżywać na smoku.

Słuch po nich wkrótce zaginął,
smoka porwało gdzieś licho.
Nasz rycerz rdzewiał pod wieżą
i pojękiwał dość cicho.

Lecz usłyszała jęk dama,
zeszła więc z wieży po schodkach
i odrdzewiła rycerza
z pomocą pewnego środka.

Rycerz się z damą ożenił
wnet, gdy odzyskał swobodę,
i wkrótce im się urodził
mój praprapraprapraprzodek.

KSIĘŻNICZKA

Kiedy nie mogę w nocy zasnąć
i wciąż się wiercę jak wiertarka,
myślę, że jestem spokrewniony
z księżniczką. Tą od grochu ziarnka.

MANDARYN

Uwielbiam mandarynki,
pochłaniam je bez miary.
Więc musiał w mej rodzinie
choć jeden być mandaryn.

Wiem, wiem, że był Chińczykiem,
po Wielkim chadzał Murze.
Mam po nim skośne oczy
(gdy je na słońcu mrużę).

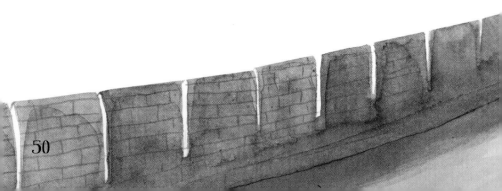

DUCH

W ruinach pobliskiego zamku,
gdy księżyc skryje się za chmurą,
napotkać można o północy
zjawę koszmarną i ponurą.

Kim była zjawa ta za życia?
Czy zawsze była trupio blada?
Czemu – gdy kogoś chce przerazić –
to głowę swą pod pachę wkłada?

To nasza nieposłuszna krewna,
córka rycerza starej daty,
która się raz – wbrew ostrzeżeniom –
bawiła ostrym mieczem taty.

53

SZAMAN

Kiedy była wielka powódź
albo zamieć lub tsunami,
to wzywało się szamana,
co przyjaźnił się z duchami.

I dla niego owe duchy
rozwiewały chmury chuchem!
Więc raz, w dowód swej przyjaźni,
nasz wuj szaman... stał się duchem.

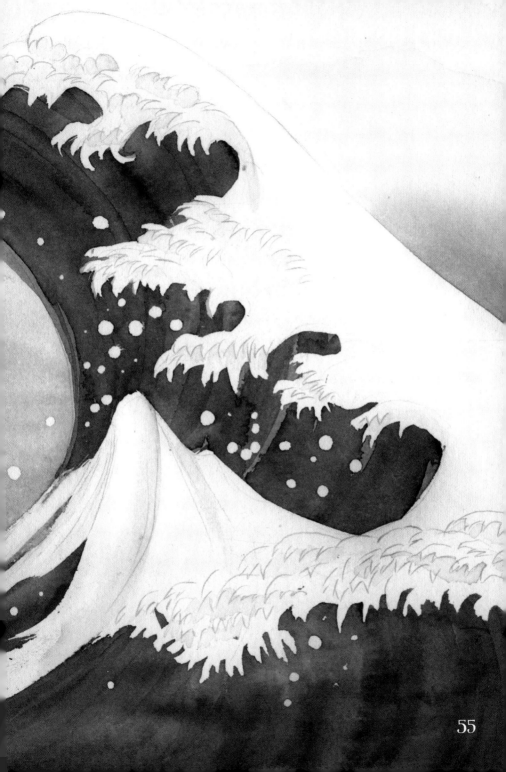

MNICH

Nie uwierzycie,
że całe życie
chodził w habicie
i na pulpicie
w pięknym zeszycie
pisał coś skrycie,
a mianowicie:

„Nie uwierzycie,
że całe życie
chodzę w habicie
i na pulpicie
w pięknym zeszycie
piszę coś skrycie,
a mianowicie:

»Nie uwierzycie,
że całe życie...«".

DWÓRKA

W mojej rodzinie wszystkie panny
dygają w sposób nienaganny.
Uczą się tego, jak się dyga,
bez krztyny trudu i w try miga.

Dziedziczą to po matkach córki
od czasów średniowiecznej dwórki,
która skończyła bez szemrania
profesjonalny kurs dygania.

61

MUSZKIETER

Biegali tu i tam gromadą
i ciągle kogoś kłuli szpadą.
Robili przy tym moc hałasu
i na nic wciąż nie mieli czasu,
także na życie osobiste,
więc to nie było oczywiste,
czy obowiązki, jakże liczne,
na drzewo genealogiczne
muszkieterowi wleźć pozwolą.
Lecz się ożenił z ciocią Jolą,
na drzewo wlazł i odtąd szpady
używał, nie by szukać zwady,
lecz by przyrządzać dla rodziny
pyszne szaszłyki z jagnięciny.

PIRAT

Wszyscy mieli – jak twierdzi mój tata –
choć jednego w rodzinie pirata.
Werbowali okrutni piraci
z każdej z rodzin po jednym z braci
i robili z nich strasznych piratów:
postrach świata i postrach zaświatów.

Kiedy pirat miał wzrok nieostry,
zamiast braci werbował siostry.
I choć to się zdarza dość rzadko,
nasz rodzinny pirat był... piratką.

69

WRÓŻKA

Mieliśmy wśród krewnych wróżkę,
co wróżyła z kart
i mówiła, co cię czeka –
pech czy raczej fart.

Gdy pytano naszą wróżkę,
kto dziś wygra mecz,
to robiła mądrą minę
i mówiła – wstecz.

By pogodę przepowiadać,
także miała dar.
Gdy pytano, to mówiła:
„Będzie mróz. Lub skwar".

Gdy ją pytał pan, czy imię
przyszłej pani zna,
to mówiła tylko tyle:
„Kończy się na »A«".

POŁYKACZ OGNIA

Jadł obiad na surowo,
brał ognia łyk ostrożnie
i wszystko mu się w brzuchu
wnet piekło jak na rożnie.

ASTRONOM

Mało kto widział go, niestety,
bo sypiał w dzień,
a w nocy patrzył przez lunety
jak jakiś cień.
Gdy rano inni szli do pracy,
to on szedł spać,
więc bardzo trudno się z nim było
w rozmowę wdać.
Raz odkrył całkiem nowe gwiazdy
za siną mgłą
i rzekł: „Jak powiem o tym ludziom,
gdy wszyscy śpią?".
Przez resztę nocy to rozpaczał,
to wpadał w szał.
Rano pytano, co się stało –
lecz on już spał.

KRAWIEC

Nasz daleki wujek, krawiec,
piękne szył kaftany,
więc go wszyscy nazywali
wujek przyszywany.

KAWALERZYSTA

Przodek nasz, kawalerzysta,
lat temu mniej więcej trzysta,
miał postanowienie szczere,
żeby zostać kawalerem.

Przez te dwa podobne słowa
ciągle go bolała głowa:
„W kawalerii jest kawaler?
Czy ten drugi? Nie wiem wcale!".

Był więc jednym oraz drugim,
lecz przez czas nie bardzo długi,
poznał bowiem ciocię Wierę
i być przestał kawalerem.

Znów był w trudnej sytuacji,
więc po ślubnej wnet kolacji,
mówiąc: „Dosyć tych brewerii!",
rzucił pracę w kawalerii.

Skutek miało to istotny:
przodek został bezrobotny.
I choć to się rzadko zdarza,
przyjął pracę... kawalarza.

SKLEPIKARZ

Ogromny miał kapelusz
i długą brodę siwą,
i bardzo wielkie serce,
i duszę dobrotliwą.

Miał żonę jak niteczka
i sam był chudziuteńki.
I mieli tyci sklepik
w miasteczku maciupeńkim.

Raz przyszli jacyś ludzie
i rzekli mimochodem:
„Musisz się stąd wynosić,
bo masz za długą brodę".

Spakował więc dobytek
i z żoną jak niteczka
ruszyli szukać szczęścia
w podobnych gdzieś miasteczkach.

I ponoć wciąż szukają,
choć coraz bardziej chudną.
Przez wieki aż tak schudli,
że ich zobaczyć trudno:

jak nitki pajęczyny,
którymi wiatr porusza.
Czasami widać tylko
cień jego kapelusza.

AKROBATKA

Po-
woli
po
linie
po-
dąża.
Po
minie
widać, jaka jest skupiona.

Na
palcach,
na
pięcie,
na
sali
na-
pięcie –
to pradziadka narzeczona.

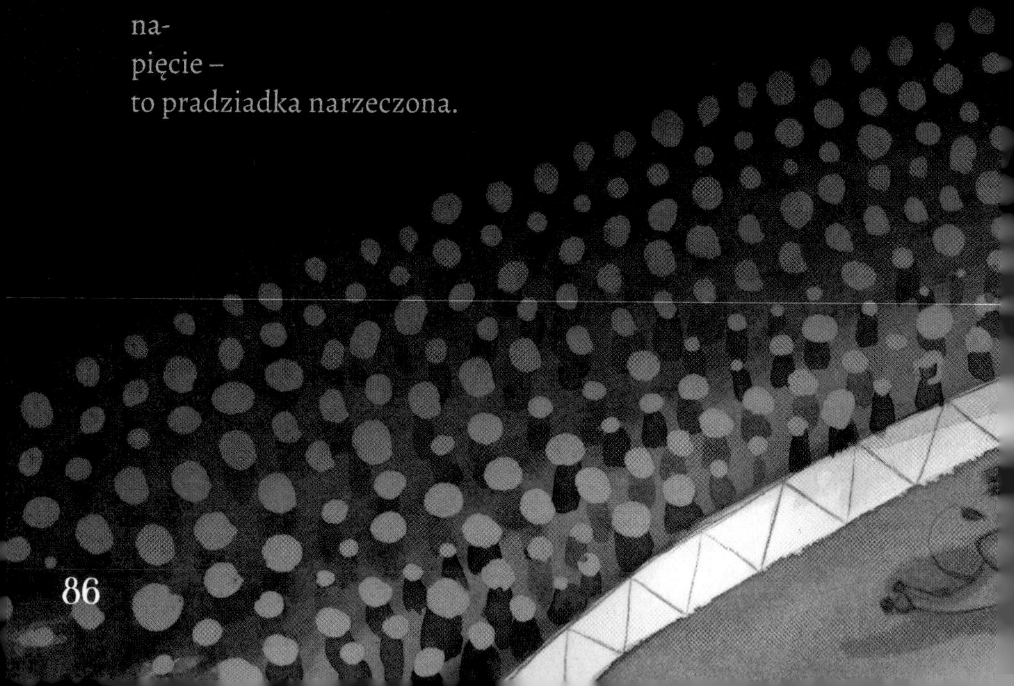

Gdy zeszła z liny
ta akrobatka,
to wnet została
żoną pradziadka.
I przeskoczyła,
jak źrebię zwinne,
z liny na drzewo
nasze rodzinne!

OBCOKRAJOWIEC

Mamy w rodzinie obcokrajowca;
mówi się o nim: „To czarna owca!".
Bo gdy go o coś pyta teściowa,
nie odpowiada jej ani słowa.
Kiedy do niego mówi szwagierka,
on tylko dziwnie tak jakoś zerka.
Gdy go teść pyta: „Pogadasz z teściem?",
to on zastyga w dziwacznym geście.

W obcokrajowcu wreszcie coś trzasło
i raz przy stole spytał: „Gdzie masło?".
Wszyscy zamarli, aż wreszcie żona
„Czemu milczałeś – pyta zdumiona –
choć się do ciebie tyle mówiło?".
On na to odrzekł: „Bo masło było".

MODELKA

Ponad wątpliwość wszelką
prababcia była modelką.
Nie mamy jej zdjęć, niestety,
tylko malarskie portrety
jakiegoś pana Picassa.
I chociaż tylko do pasa,
to na nich nie wygląda
jak taka – na przykład – Gioconda:

ma kwadratową głowę,
dwa nosy zapasowe,
uśmiecha się szeroko
od ucha aż po oko,

od szyi aż po czoło,
a mnie – nie jest wesoło,

bo myślę, że chyba tylko przez przypadek
zakochał się w niej mój pradziadek.

WIĘZIEŃ

Gdy go wyciągano z kojca
lub łóżeczka dziecinnego,
budził ze snu nawet ojca,
rozpaczając na całego.

Gdy już dorósł, to w więzieniach
przesiadywał wprost latami.
Nieszczęśliwy był, gdy stamtąd
wypuszczano go czasami.

Ale zaraz do nich wracał.
Jak? Sposobów miał on wiele.
I podobno często mówił:
„Ważne, by mieć w życiu cele".

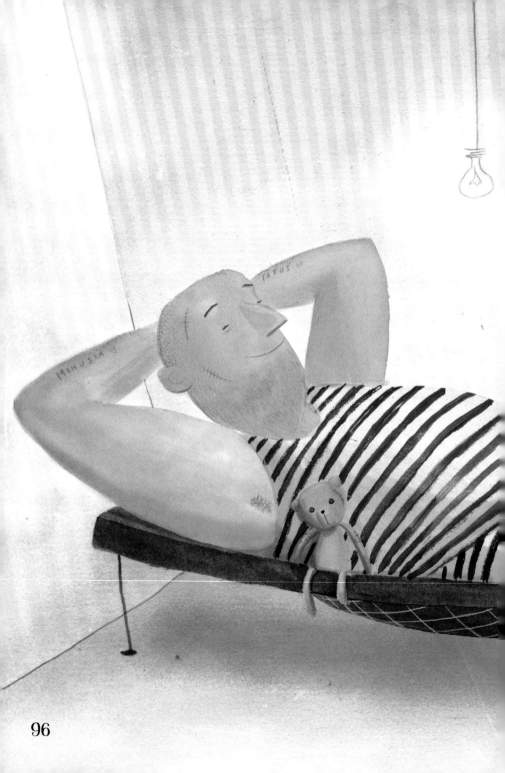

MARYNARZ

Kochał morza, lubił plaże,
no więc został marynarzem.

Spędzał życie na okrętach:
nawet Nowy Rok i święta.

Mawiał: „Sypiam, gdy kołysze.
Spać na lądzie? Pierwsze słyszę!".

Raz zakochał się szalenie
wujek ów w pewnej syrenie.
Zamieszkali razem na dnie,
twierdząc, że jest na dnie ładnie.

Oto powód bardzo prosty,
skąd się wzięły wodorosty

wśród gałęzi – jakże licznych –
naszych genealogicznych.

99

100

PIANISTKA

Kiedy grała na fortepianie,
to płakali panowie i panie.
I płakano – by tak rzec – u góry,
bo jej gra przyciągała chmury:
choćby dzień skwarny był jakich mało,
kiedy grać zaczynała – wnet lało.

Gdy więc powódź w ojczyźnie szalała,
to błagano ją, żeby nie grała.
Nim zaś susza zniszczyła zbóż masę,
to pianistka ruszała w trasę.

Raz jej ktoś podziękował wzruszony
za jej wpływ na krajowe plony,
przełamała wówczas opory
i przestała grać smutne utwory.

Odtąd gdy grała na fortepianie,
uśmiechały się pięknie panie
i panowie. A tam, u góry,
nie zbierały się więcej chmury
i przestała się psuć pogoda.

Niby dobrze. Lecz trochę – szkoda.

105

PORYWACZ

Był w rodzinie taki przypadek,
że prababkę porwał pradziadek.
Związał linką zdumioną prababkę
i na ślub zawiózł prosto pod Rabkę.

Choć mógł zrobić to nieco właściwiej –
żyli długo i żyli szczęśliwie.

PORYWACZKA

To nie tak ów wyglądał przypadek:
nie prababkę porwał pradziadek,
lecz prababka porwała pradziadka,
choć to rzecz niesłychanie wprost rzadka.

Tak czy owak przyznajmy uczciwie:
żyli długo i żyli szczęśliwie.

ZAKOCHANY

Nie wiem, czy to był wujkodziadek,
czy może raczej dziadkowujek,
lecz było pewne, że to człowiek,
który się ciągle zakochuje.

Co roku – zwykle wczesną wiosną –
rozradowany wprost szalenie
ogłaszał nam, czyli rodzinie:
„Kochani! Ja się jutro żenię!".

Gałęzie genealogiczne
splątały się – jak w żywopłocie –
nam przez te wszystkie ciociobabcie,
a może raczej babciociocie.

ZASŁUCHANA

Usłyszała raz tenora
i z miłości była chora!
Śpiewał sam, a jakby trio,
tylko jej: „O sole mio!".
I wnet była już gotową
zostać panią tenorową.

Lecz gdy się skończyła aria,
otrzeźwiała ciocia Maria:
„Słuchać cały dzień tenora?
To przesada całkiem spora.
Przecież ja od arii wolę
nowoczesne rock and rolle!".

KINOOPERATOR

Jest w każdym kinie takie okienko,
przez które filmy na ekran lecą.
Za tym okienkiem siedział mój dziadek
i naoglądał się filmów nieco.

Zwłaszcza z przeróżnych filmów wojennych
znał on na pamięć wszystkie dialogi
i przez sen krzyczał: „Ręce do góry!",
zrywając babcię na równe nogi.

117

WRÓŻKA

Moja babcia bardzo młodo osiwiała,
więc by zaraz nie wyglądać jak staruszka,
farbowała sobie włosy na różowo
i wołano za nią: „Spójrzcie! Dobra wróżka!".

PODRÓŻNIK

Dziadek mój był podróżnikiem.
Znałem go wyłącznie z listów.
Jeździł tu i tam po świecie
i był w miastach ponad trzystu.

Chciałem dziadka wreszcie poznać.
Umówiliśmy się w Rzymie,
ale gdy tam dojechałem,
dziadek był już gdzieś na Krymie.

Stamtąd wysłał list ostatni
(potem jeszcze przyszła paczka).
Może gdzieś się przeprowadził,
gdzie nie można kupić znaczka?

BRYDŻYSTKA

Babcia z przyjaciółeczkami,
Lolą, Wisią oraz Lusią,
w każdą środę grała w brydża,
popijając go kawusią.

W pewną środę moja babcia
rzekła: „Wiecie, o czym marzę,
Lolu, Wisiu oraz Lusiu?
By się nigdy nie zestarzeć!".

Następnego dnia zniknęły
wszystkie cztery, tak nad ranem,
by nie w brydża, lecz w piotrusia
teraz grać – z Piotrusiem Panem.

HARCERZ

Nasz wujek nocami
się wiercił i miotał,
bo spać umiał tylko
w harcerskich namiotach.

Czy lato, czy zima,
on sypiać nie może
gdzie indziej, jak tylko
w harcerskim śpiworze.

Z zaśnięciem nasz wujek
problemy miał duże:
zasypiał wyłącznie
w harcerskim mundurze.

Obudzić go w nocy
nie mogło nic w świecie,
lecz tylko gdy sypiał
w harcerskim berecie.

Potrafił nasz wujek
żyć tylko o kaszce:
przyrządzał ją sobie
w harcerskiej menażce,

mawiając: „Ja w takie
dziwactwa nie wierzę,
jak dom, kołdra, łóżko,
piżama, talerze...".

ROZTARGNIONA

Gdyby był konkurs
na poziom roztargnienia,
to pierwsze miejsce
by zajęła bez wątpienia
moja ciotka: o ile wiem,
pewnego pięknego dnia
wyszła na spacer z psem,
zapominając psa.

KOLEKCJONER

Mój stryj
zbiera płyty
muzyczne.

Mieszkanko
ma małe,
lecz śliczne.

Miał w bród
sprzętów tam
należytych,

lecz teraz
już tylko
ma płyty.

Miał płytki
w WC
kolorowe,

lecz zmienił
je na
kompaktowe.

Zbudował
z płytowych
pudełek

komplecik
kuchennych
krzesełek.

A piękną
zastawę
stołową

wymienił
mój stryj
na płytową.

I wczoraj
pysznego
zjadł pstrąga

na płycie
Louisa
Armstronga.

STEWARDESA

Po podniebnych mknie bezkresach
moja stryjenka – stewardesa.

Ląduje, pije łyczek kawy
i prędko leci do Warszawy.

W Warszawie ma niewiele czasu,
bo zaraz leci do Teksasu.

W Teksasie spędzi noc jedynie,
bo zaraz musi być w Londynie.

Z Londynu leci na Hawaje,
lecz na Hawajach nie zostaje.

Po chwili znów jest w samolocie,
bo musi zaraz być w Bogocie.

W Bogocie tylko jest do wtorku,
bo do Nowego leci Jorku.

Chwilkę odpocznie sobie wreszcie,
lecz wnet być musi w Budapeszcie,

potem w Paryżu i w Madrycie.
Ech, ona to ma fajne życie...

„Gdzie lecisz na wakacje?" – spytałem ją raz po kryjomu.
A ona na to: „Wakacje? Wakacje spędzam w domu!".

TATERNICZKA

Czy zadymka, czy wiatr halny,
dzień deszczowy czy upalny,
kuzyneczka taterniczka
w trekkingowych mknie trzewiczkach
zawsze jakimś górskim szlakiem –
z plecakiem.

Wiemy, skąd się biorą dzieci:
bocian nieopodal leci,
trzyma w dziobie dziecko w chuście
lub podkłada je w kapuście.
Ją podrzucił zaś na szlaku –
w plecaku.

ZŁOTA RĄCZKA

Kiedy się w naszym domu coś psuje,
łamie, zatyka, przepala, pęka –
na przykład pralka, lodówka, spłuczka,
światło, internet, radio, kuchenka –

albo gdy remont zrobić wypada:
wymienić w kranach stare uszczelki
i pomalować wszystkie sufity,
zmienić tapety oraz kafelki –

już zacierają ręce fachowcy
i remontowe liczne brygady,
które wkraczają chętnie do akcji,
kiedy ktoś stwierdzi, że nie da rady...

Lecz chociaż proszą, grożą, błagają –
my dla nich pracy wcale nie mamy.
Wszystko naprawia w domu sam tata
(no, czasem trochę mu pomagamy).

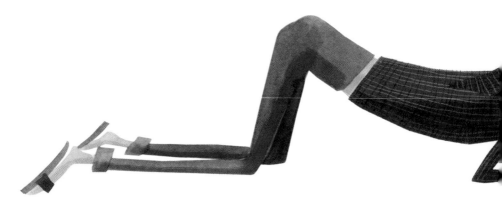

NAZYWACZKA

Kiedy nie mamy nic w lodówce,
mama gotuje coś z niczego,
lecz zanim poda nam do stołu,
choćby to było coś zwykłego,
wymyśla mu niezwykłą nazwę,
żeby nam bardziej smakowało.
Jemy na przykład moldurlaki
w sosie z prybelek i z szatałą
lub pyszną zupę olafkową,
a potem grypsle z przywarkami –
i nam naprawdę wszystko jedno,
co się ukrywa pod nazwami.

SANITARIUSZKA

Trochę mnie oszukał tata,
mówiąc, że mieć będę brata.
Wkrótce los mi w nos dał prztyczka:
urodziła się siostrzyczka.

Jak się bawić w wojnę z siostrą?
Jak uzbroić bronią ostrą?
Z taką rączką, z taką nóżką
może być... sanitariuszką.

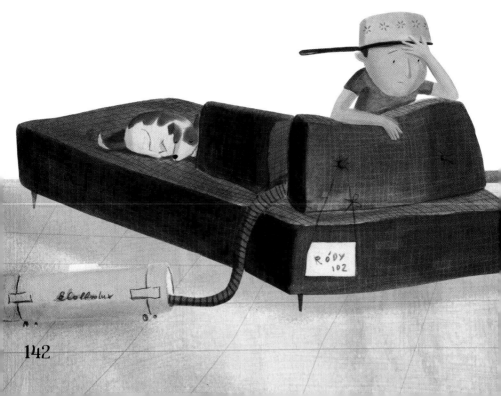

143

145

JA

Pytacie mnie, kim będę.
To jest pytanie z błędem.
Odpowiem wam z szelestem,
że ja już przecież jessstem!

Pytacie mnie, kim będę.
To jest pytanie z błędem!
Stawiajcie je tym gościom,
co martwią się przyszłością
i przez to wdzianka mną.

Ja zamiar mam być – mną.

GAŁĄZKI

Wyhodowałem w sposób niedrogi
dorodne drzewo genealogi-
czne. Za pomocą pisaków samych,
a przy pomocy taty i mamy,
babci i dziadka, wujka i cioci –
i wyobraźni, co czasem psoci.

Lecz hodowanie nie jest skończone:
niedługo będę miał piękną żonę;
biorę też dwójkę dzieci w rachubę
(może Natalkę? i może Kubę?).
Gdy one zwiążą już własne związki –
wyrosną całkiem nowe gałązki...

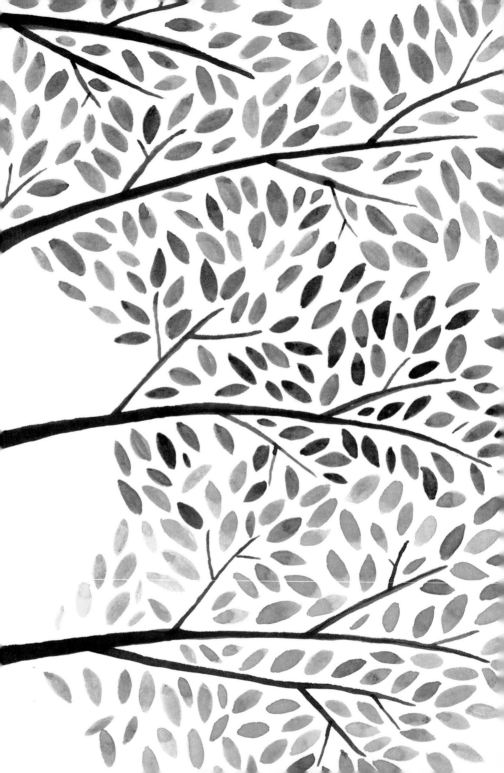

WYHODUJ WŁASNE

1. Porozmawiaj z:

DRZEWO GENEALOGICZNE

2. Przygotuj:

3. Uzupełnij rysunek →

MAMA

JA

SPIS

Wstęp ★5★

Drzewo ★12★

Małpa ★14★

Jaskiniowiec ★16★

Egipcjanin ★20★

Grek ★24★

Rzymianin ★26★

Druid ★28★

Wiking ★32★

Czarownica ★36★

Święta ★40★

Woj ★38★

Tatar ★42★

Rycerz ★44★

TREŚCI

Księżniczka
★48★

Mandaryn
★50★

Duch
★52★

Szaman
★54★

Dwórka
★58★

Mnich
★56★

Muszkieter
★62★

Pirat
★66★

Wróżka
★70★

Połykacz ognia
★72★

Astronom
★74★

Krawiec
★78★

Kawalerzysta
★80★

Sklepikarz
★82★

Akrobatka
★86★

Obcokrajowiec
★90★

Modelka
★92★

Więzień
★94★

Pianistka
★102★

Marynarz
★98★

Porywacz
★106★

Porywaczka
★108★

Zakochany
★110★

Zasłuchana
★112★

Kinooperator
★114★

Wróżka
★118★

Podróżnik
★120★

Brydżystka
★122★

Harcerz
★126★

Roztargniona
★128★

Kolekcjoner
★130★

Stewardesa
★132★

Złota rączka
★136★

Taterniczka
★134★

Nazywaczka
★140★

Sanitariuszka
★142★

Ja
★146★

Gałązki
★148★

Wyhoduj własne drzewo
★152★

Wierszyki domowe Michała Rusinka
dostępne w wersji interaktywnej
w aplikacji ReadKid

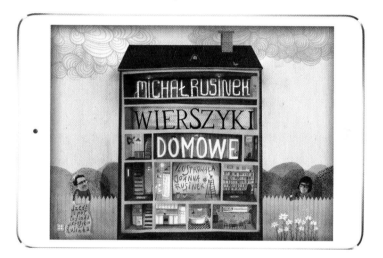

ReadKid

Niezwykłe, interaktywne bajki na iPada!

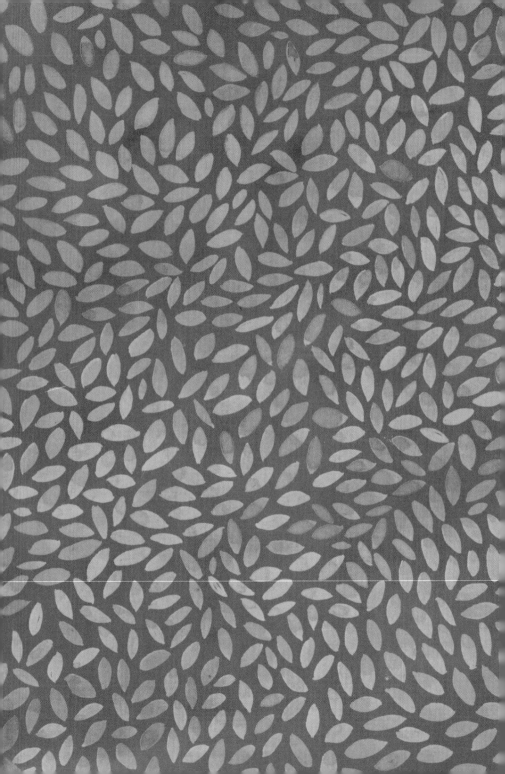